Aventuras de Don Quijote y Sancho

Basadas en la obra original de
Miguel de Cervantes

Una recreación de
Concha López Narváez

con prólogo de
Ana María Matute

e ilustraciones de
Alicia Cañas Cortázar

Primera edición: noviembre 2004
Segunda edición: enero 2005
Tercera edición: marzo 2005

A nuestros pequeños Quijotes.

Concha López Narváez
y Alicia Cañas Cortázar

PRÓLOGO

Cuando yo era niña y oía hablar del Quijote, *era como si oyera hablar de una montaña inaccesible, algo así como el Everest de la literatura, cuya cima solo podía alcanzarse siendo adulto y además, docto profesor. La verdad es que las primeras veces que se nos dio a conocer, no pudieron ser más desafortunadas: en fragmentos «escogidos», y no precisamente por alguien que conociese, ni siquiera someramente, una mente infantil. Recuerdo con congoja aquellas obligadas redacciones —yo debía de tener ocho o nueve años— inspiradas en su lectura. Ni que decir tiene que no entendimos una palabra, y que mis notas en esas tareas fueron lamentables. Y no era la única: todas mis compañeras, sin excepción, eran víctimas del mismo mal. Desde entonces, la sombra del* Quijote *planeaba sobre nuestras vidas de escolares incipientes como una amenaza. Para decirlo claramente: nos lo hicieron odiar.*

Tuvieron que pasar muchos años para que la errónea idea que tenía de esta novela extraordinaria, se tornase en otra completamente distinta. Siendo ya mujer —unos dieciocho años— me dije a mí misma que, sintiéndome como me sentía escritora, resultaba imperdonable no haberla leído. Los fragmentos a los que antes me referí habían pesado sobre mí como una cortina de agua, sin comprender absolutamente nada de ellos. Y entonces ocurrió el milagro: quedé fascinada. El Quijote *no tenía nada que ver con aquella sombra amenazante, con aquella losa opresora de escolares que me habían hecho creer. Gocé de su lectura como ninguna otra, me sumergí en sus páginas con auténtica pasión, y lamenté que una obra de tal magnitud nos hubiera sido escamoteada, hasta incluso hacérnosla insufrible, por culpa de la insensibilidad y el desconocimiento de lo que es ser un niño.*

Muchos años han transcurrido desde entonces, y mi pasión por las andanzas y desgarradora humanidad de don Quijote *crecen y crecen cada vez que lo releo. Y sé que los niños, precisamente, pueden entender su drama y su gloria, pues en muchos aspectos están más cerca de él que los adultos. Pero se precisa hacérselo accesible. Y también por este motivo acojo con inmensa alegría esta edición adaptada a ellos.*

Espero que todos los niños lean este Quijote, *magníficamente puesto a su alcance, y se adentren en sus páginas como lo hubiera hecho yo a su edad; y no lo olvidarán nunca, como no lo he olvidado yo.*

Ana María MATUTE
de la Real Academia Española

Introducción

En enero del año 2005 va a hacer cuatro siglos exactos que el señor don Miguel de Cervantes Saavedra escribió la primera parte de su gran libro: ¡El Quijote! Será una fecha importante que todos debemos celebrar.

Los mayores hablarán de Cervantes, se reunirán, pronunciarán discursos y, seguramente, leerán otra vez El Quijote.

Y vosotros, ¿qué es lo que vais a hacer...?

Me parece que a casi ninguno os gustan los discursos, y tampoco podéis leer El Quijote, porque aún no lo vais a entender. Es un libro magnífico, pero también difícil, que solo entienden los mayores, y no todos, no vayáis a creer.

Pero veréis, a mí, que escribo para niños, se me ha ocurrido algo que espero que sí os guste: Para celebrar esos cuatrocientos años y recordar al señor don Miguel de Cervantes, voy a contaros cosas, cosas de don Quijote y Sancho. Lo mismo que vuestros padres o vuestros abuelos os cuentan cosas de cuando ellos eran pequeños o de otras personas que no habéis conocido.

Contaros cosas de don Quijote y Sancho, sí, eso es lo que yo pienso hacer. Os contaré algunas de sus aventuras, las más sencillas y las más divertidas, aunque también puede que os cuente o diga algo que sea un poquito más triste, porque, como en las de todo el mundo, en sus vidas hubo momentos buenos y momentos malos.

Esas cosas que os cuente serán las mismas cosas que contó don Miguel de Cervantes. Unas veces lo haré con sus propias palabras; sin embargo, otras veces tendré que cambiarlas, porque, si no lo hago, no podréis comprenderlas. Hasta puede ocurrir que yo me invente algo. No, no es eso exactamente, no voy a inventar nada; pero sí lo voy a imaginar. Es como cuando un niño pregunta a sus padres: «¿Qué te parece a ti que dirían el abuelo o la abuela si estuvieran aquí?».

En fin, eso voy a contaros, cosas de don Quijote y Sancho, cosas que sucedieron y cosas que imagino o que pienso. Sí, es solamente eso.

Tenéis que saber que no voy a escribir un resumen del Quijote, ni tampoco un Quijote para niños; por lo tanto, no creáis que vais a leer El ingenioso hidalgo don Quijote de la Mancha, que ese es el nombre completo del libro de don Miguel de Cervantes, publicado hace cuatro siglos exactos. Eso no puede ser, aún no tenéis edad. Pero os pido un favor, y es que, cuando pasen los años y vosotros ya seáis mujeres y hombres, lo leáis, despacito y con mucha atención, y después penséis en las cosas que hicieron y dijeron el caballero andante don Quijote de la Mancha y Sancho, su escudero.

Concha López Narváez

PRIMERA PARTE

Capítulo I

Don Alonso Quijano

Hace muchos años hubo un hombre que leía a todas horas.

Se llamaba don Alonso Quijano, y no hacía otra cosa que leer. Tanto, que casi no comía ni bebía.

Don Alonso vivía con su sobrina y con una mujer que cuidaba de la casa; era su ama de llaves.

La sobrina y el ama de llaves estaban preocupadas porque don Alonso no se alimentaba.

—Señor tío, dejad ese libro un rato, que la comida se enfría —decía la sobrina.

Don Alonso la oía como quien oye llover.

Luego llegaba el ama de llaves:

—Mirad, señor, mirad qué par de huevos con jamón os traigo. Este es de la gallina rubia y este es de la negra. Ya sabéis que ellas los ponen expresamente para vos —decía arrimándole el plato a las narices.

—Ta, ta, quita, quita...
—refunfuñaba
don Alonso.

En fin, en casa de don
Alonso Quijano nadie
estaba contento,
tampoco el galgo
y el caballo.

13

El galgo le lamía las manos y le movía el rabo, diciéndole: «Vámonos al campo, señor amo, a correr detrás de las liebres y de las perdices...».

En cuanto al caballo, las horas le parecían eternas amarrado al pesebre. Además, se sentía un inútil: «Mi amo ya no me necesita», pensaba.

El caso era que don Alonso no se daba cuenta de ninguna de estas tristezas. Él leía, leía... y, leyendo, vivía en otro mundo.

Leer es algo bueno; pero no a todas horas, como él hacía.

Además, siempre leía libros de aventuras, y de esas en las que un caballero, de los que antiguamente llamaban andantes, luchaba con magos, dragones y gigantes. Y sucedió que don Alonso acabó creyendo que lo que leía en esos libros eran verdades y no fantasías. Pensando en eso, se puso a hablar consigo mismo, y esto, más o menos, fue lo que se dijo:

«Como en el mundo todavía quedan muchas gentes malvadas, los caballeros andantes siguen siendo necesarios, y, por tanto, yo he de ser uno de ellos».

—¡Seré caballero andante! —gritó emocionado.

Se levantó de un salto y agitó en el aire su brazo derecho, como si en la mano tuviera una espada. Luego siguió gritando:

—¡Seré caballero andante!

Y de pronto sus voces cesaron, y comenzó a pensar en qué era lo que hacían y lo que llevaban los caballeros andantes cuando recorrían el mundo para luchar con magos, dragones y gigantes.

Capítulo II

¿QUÉ NECESITA UN CABALLERO ANDANTE?

¡ARMAS! Eso era lo primero que necesitaban los caballeros andantes.

—¡Armas! ¡Necesito armas! —exclamó don Alonso, y se echó escaleras abajo—. ¡Armas! —repetía cruzando el patio.

Las armas que él buscaba eran la espada, lanza, escudo y armadura de sus abuelos y tatarabuelos. Esperaba encontrarlas en el cuartucho en el que se amontonaban las cosas viejas.

Como una tromba, don Alonso se precipitó en el pequeño trastero. Enseguida comenzaron a volar por el aire mesas sin patas, sillas sin respaldos, cestos sin fondo, cazuelas sin asas... Hasta que por fin encontró lo que buscaba:

—¡Mis armas...! —exclamó como si hubiera hallado un tesoro.

Los días que siguieron los empleó en limpiar la espada, la lanza, la armadura y el escudo. Cuando le pareció que estaban relucientes, salió al patio con ellos en las manos y, alzándolos al sol, exclamó con orgullo:

—¡Brillan como la misma plata!

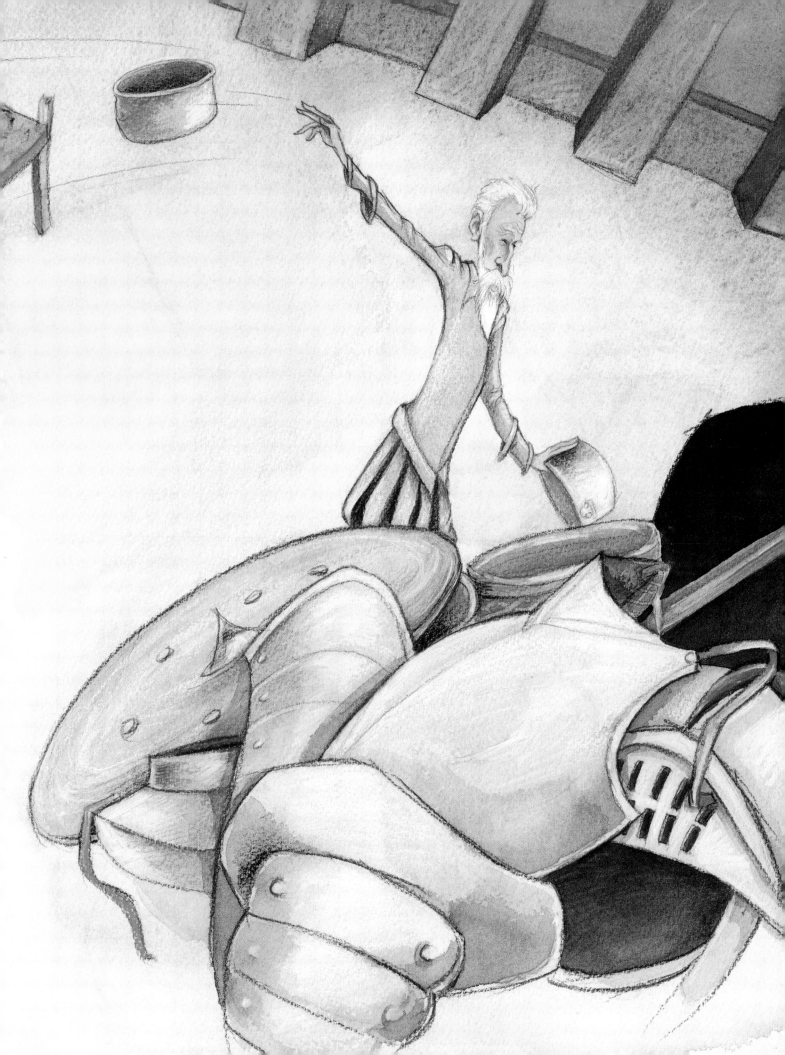

Enseguida, don Alonso se puso
a pensar en la segunda cosa
que necesitaban los caballeros
andantes cuando recorrían
el mundo.

Sin duda, la segunda cosa era
¡un caballo! Pero por suerte,
él ya lo tenía.

Y de pronto, el caballero volvió a preocuparse:
«Lo malo es que los famosos caballos
de los famosos caballeros andantes tenían
nombre, y el mío no lo tiene. Tener un caballo
sin nombre, si se es caballero andante,
es como no tener caballo», se dijo a sí mismo.

Necesitaba un nombre;
pero... ¿cuál? Pensó, pensó
y pensó. Y de pronto tuvo
la gran idea:

—¡Rocinante! —exclamó entusiasmado.

Rocinante no parecía mal nombre,
pues en aquellos tiempos daba lo mismo
decir caballo que decir rocín, como
lo mismo se decía perro que can.

Bien, y de rocín, ¡Rocinante!

Don Alonso se sentía feliz: tenía armas
que brillaban al sol y un caballo
con nombre. ¿Qué más necesitaba
para salir al mundo?

Pues necesitaba buscar
su propio nombre.

Los caballeros andantes
siempre tenían dos
nombres, el de todos
los días, y otro nuevo,
para ir a la lucha.

Después de mucho
pensar, tuvo otra
buena idea:

¡Don Quijote!
Se llamaría don Quijote.

¡Sí!, parecía un nombre
apropiado, pues tenía
relación con su apellido:
Quijano.

Quijano, Quijote;
Quijote, Quijano...
Decididamente, le gustaba.

—Me llamaré
¡don Quijote de la Mancha!
De La Mancha, sí, porque
es en esta gran región en la que he nacido y me he criado.

En fin, ya parecía tener todo lo que necesitaba un caballero
andante para ir por el mundo.

¿Todo? Pues todavía no, porque aún le faltaba algo,
¡y de la mayor importancia!

Capítulo III

UNA DAMA
Y UN ESCUDERO

ON Quijote daba grandes zancadas, patio arriba, patio abajo, mientras, una vez más, hablaba consigo mismo:

«En los muchos libros que he leído, los caballeros andantes siempre estaban enamorados de alguna hermosa y joven dama. Por lo tanto, también yo tengo que enamorarme, porque un caballero andante sin dama es lo mismo que un árbol sin hojas».

Pero ¿de quién podía enamorarse, así tan de repente? Por desgracia, no conocía a muchas damas, y menos aún que fueran hermosas y jóvenes.

«¿De quién, de quién me puedo enamorar si no conozco a nadie?», pensaba don Quijote. Hasta que, de pronto, se dio una sonora palmada en la frente: ¡acababa de acordarse de cierta mujer que vivía en otro pueblo, aunque no muy lejano! El caso era que apenas la conocía; pero había oído decir que era joven y hermosa.

—¡Ella ha de ser mi dama! —exclamó, y al instante se sintió enamorado.

Después se dijo que tan maravillosa mujer tenía que tener un nombre maravilloso, no importaba cuál fuera el suyo propio. Él le buscaría un nuevo nombre.

—¡Dulcinea! —susurró después de algunas dudas—. Doña Dulcinea del Toboso, que ese es el lugar en el que ha nacido... Dulcinea..., pues debe de ser muy dulce, la más dulce y delicada de las mujeres —repitió emocionado.

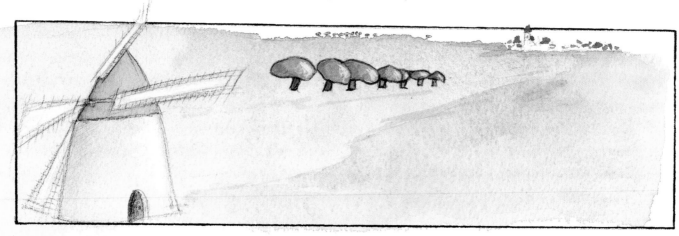

Pero ¿quién y cómo era de verdad su amada Dulcinea?

De verdad, se llamaba Aldonza Lorenzo, y era hija de un labrador de El Toboso. En cuanto a eso de delicada y dulce, no sé yo qué decir, pues, según parece, era tan alta y fuerte como el más alto y fuerte de los hombres. Además, con todos discutía, y hablaba siempre a voces, con tales gritos que hasta las cigüeñas de la torre se asustaban.

En fin, el caso fue que se convirtió en la dama del caballero, aunque nunca supo que don Quijote se había enamorado de ella y con ella soñaba a todas horas.

22

Pues bien, como ya le parecía
a don Quijote que tenía todo lo que
necesitaban los caballeros andantes
para recorrer el mundo, de su casa salió
una mañana, con sus armas
y su armadura, montado en su caballo
Rocinante y pensando en Dulcinea.

Pero todo le fue tan mal que tuvo
que volver pocos días después.

¿Y por qué le fue tan mal?
¿Qué sucedió?

Sucedió que don Quijote olvidó
que los caballeros andantes también
necesitaban un ayudante o un escudero,
que así se llamaban en aquellos
tiempos. Los escuderos ayudaban a
los caballeros a llevar las armas, a cuidar
del caballo y, sobre todo, a levantarse
cuando se caían, porque la armadura
era tan pesada que, sin ayuda, no
podían alzarse del suelo. Un caballero
andante caído parecía un galápago boca
arriba, agitando desesperadamente
los brazos y las piernas.

¿Y quién podría ser ese escudero?

Pues, después de mucho pensar,
se acordó de un cierto vecino suyo que
se llamaba Sancho Panza, y sin perder
un minuto, se fue a hablar con él.

Capítulo IV

SANCHO PANZA

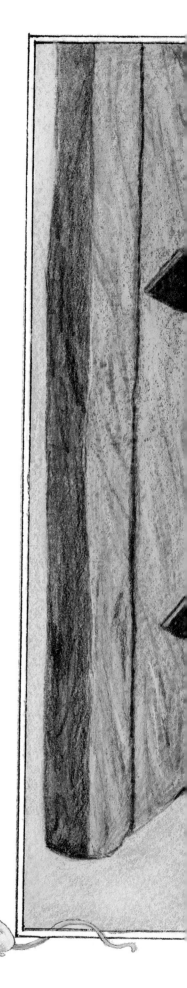

MÁS o menos, esto fue lo que don Quijote le dijo a Sancho Panza:

—Has de saber que me he hecho caballero andante. Muy pronto marcharé en busca de aventuras y necesito un escudero. Algún día, llegaré a ser rey o emperador. Entonces, a ese escudero lo haré gobernador de algún territorio o de una isla... Y había pensado, Sancho, que tú podías ser ese escudero.

Sancho Panza, que nunca había oído hablar de caballeros andantes, se echó las manos a la cabeza.

Pero don Quijote comenzó a decirle tan buenas palabras de eso de ser gobernador que Sancho, que era algo simple, acabó dándole vueltas a la cabeza:

«El caso es que, si yo gobernara una isla, no tendría que trabajar de sol a sol. Mi mujer, Teresa Panza, sería gobernadora; a mi hija Sanchica la casaría con un conde, y a mi hijo lo haría arzobispo».

26

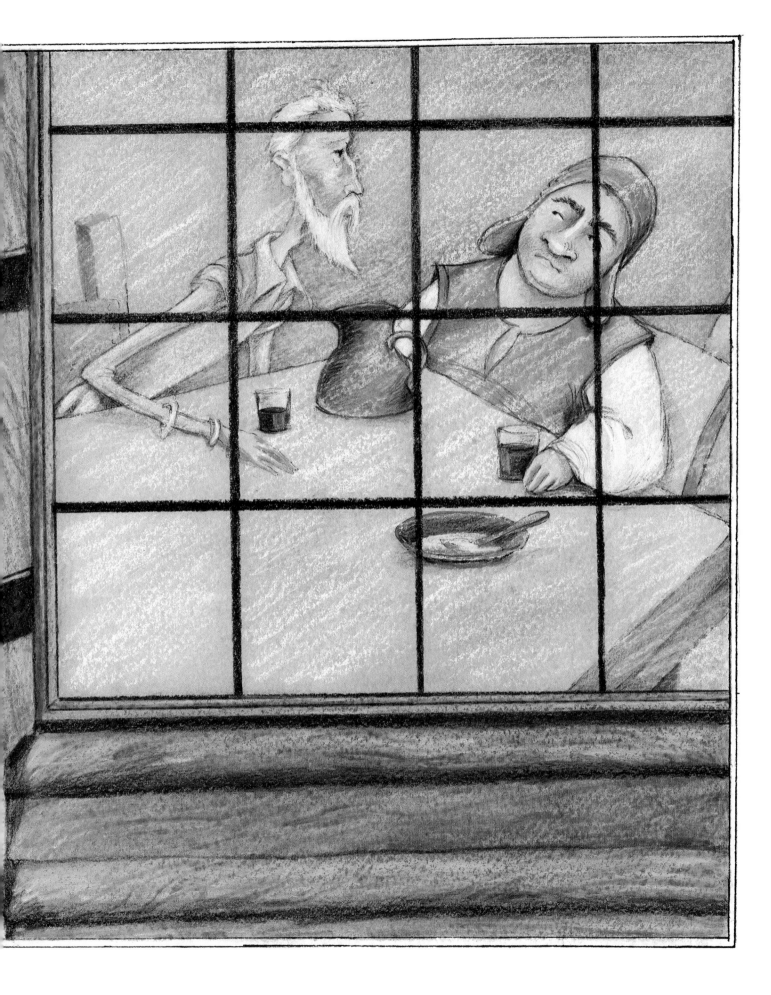

Mientras Sancho pensaba en esto, don Quijote seguía insistiendo, de modo que acabó diciéndole que sí, que sería su escudero.

El caballero andante se puso más contento que unas pascuas; pero enseguida le advirtió que guardara el secreto:

—De esto, ni una palabra a nadie, porque si tu familia o la mía llegaran a enterarse de que pensamos marchar, nos harían la vida imposible.

—¡Seguro! —exclamó Sancho.

Pocos días después emprendieron la marcha. En secreto salieron de sus casas cierta noche de julio.

A Sancho le dolía en el alma no despedirse de su mujer y de sus hijos; pero se consolaba pensando que, cuando regresara, sería gobernador, y que entonces abandonarían aquella pobre casa para ir a vivir a un gran palacio.

¡Qué distintos eran los dos, no solo en la figura, sino en los pensamientos!

Don Quijote, montado en su viejo y flaco Rocinante, con la lanza en una mano y el escudo en la otra, el cuerpo largo y huesudo, el rostro afilado, la nariz curvada como pico de águila y el bigote oscuro, lacio y caído. A la luz de la luna parecía un fantasma, el fantasma de un caballero antiguo.

Sancho, encima de su burro, barrigón, pequeño y chato, con las alforjas llenas en uno de sus hombros y una bota de vino colgando del otro, parecía lo que era, un sencillo y humilde labrador de carne y hueso, de más carne que hueso, por supuesto.

En cuanto a lo de pensar, Sancho pensaba en su familia, y don Quijote pensaba en Dulcinea.

Capítulo V

UNA GRAN
Y DISPARATADA
AVENTURA

L A primera mañana después de la salida amaneció tranquila y luminosa.

Don Quijote y Sancho Panza se sentían alegres. El asno y el caballo también caminaban contentos. Por cierto, que según parecía, ya eran buenos amigos.

Con tranquilidad y calma fueron pasando las horas. Quizás con demasiada tranquilidad y calma, porque, a medida que avanzaba el día sin que se encontraran con nadie, don Quijote comenzó a impacientarse. Por eso no cesaba de alargar la mirada para ver si descubría a alguien. Mientras, Sancho no paraba de bostezar.

¡Y de pronto...! ¿Qué era aquello que se movía a lo lejos?

Sancho se espabiló
de golpe; pero, ¡bah!, solo
eran molinos, unos treinta
o cuarenta, de los muchos
que había en La Mancha.

Sin embargo, don Quijote
parecía muy nervioso.

—¡Deprisa, dame el escudo, Sancho! —exclamó con voz emocionada, mientras le brillaban los ojos y le temblaban el bigote y los labios.

—¿Qué sucede, señor? —preguntó el escudero.

—Mira hacia el frente, amigo —respondió el caballero.

Sancho se preguntaba qué podría estar viendo.

—Mira hacia el frente, Sancho —repitió don Quijote.

—Ya miro, ya, señor.

—Pues entonces has de verlos. Míralos, ahí están, en mitad del campo. Son entre treinta y cuarenta enormes y fieros gigantes. Contra todos ellos me dispongo a luchar, pues tienen secuestradas a damas y princesas, a viudas y a huérfanos.

De nuevo Sancho Panza alargó la vista lo que pudo; pero no vio gigantes ni al frente ni detrás.

—¿Qué gigantes son esos que veis? —preguntó cada vez más extrañado.

—¡Aquellos!, los de los trajes blancos, esos que tienen los brazos tan largos y extendidos, esos que tenemos justamente delante de los ojos.

—¿Aquellos...? ¿A aquellos que tenemos enfrente vos les llamáis gigantes? —exclamó Sancho, sin poder creer lo que escuchaba.

—¡Gigantes son, y de los más fieros! ¿No ves de qué manera mueven sus largos brazos? ¿No ves de qué forma nos están provocando? —respondió sin una sola duda don Quijote.

—¡Señor, no son gigantes! Son molinos de viento, y eso que creéis brazos son solo aspas.

—¡Son gigantes...! Y si tienes miedo,
apártate a un lado, que yo me enfrentaré
solo con ellos —exclamó don Quijote.

Luego espoleó al pobre Rocinante y se lanzó
a galope tendido hacia los molinos de viento.

—¡No son gigantes! —gritó Sancho.

—¡No huyáis, cobardes criaturas! ¡Vergüenza
habría de daros huir de un caballero solo!
—gritaba don Quijote, arrojándose contra
los molinos con la lanza en una mano
y el escudo en la otra.

Sancho, horrorizado, se tapó los ojos y los oídos.
Y el asno, del susto, ni rebuznar podía.

Razón tenían los dos para temer, porque
al primer ataque, caballo y caballero salieron
por el aire y en el suelo quedaron como muertos.

Sancho y el asno corrieron hacia ellos.

—Señor, que ya os lo advertí, que eran molinos
y no gigantes —decía el escudero, tratando
de ayudar a don Quijote a levantarse.

—No lo creas, Sancho, gigantes eran; pero un mago enemigo
mío los ha convertido en molinos de viento para que,
de ese modo, yo no pueda vencerlos —decía don Quijote
entre gemidos.

—¡Válgame Dios...! —suspiró Sancho.

Cuando de nuevo se pusieron en marcha, daba pena mirar
al caballo y al caballero: el caballo iba cojo y con
el lomo hundido; el caballero, dolorido y con la lanza rota.

Y así acabó la primera aventura que don Quijote y Sancho
vivieron juntos.

Una locura fue. Sin embargo, pensad que don Quijote,
aunque tenía la mente enferma, también tenía
el corazón valiente y generoso, pues los molinos
le parecieron gigantes y, a pesar de eso, luchó
con ellos para salvar a las pobres gentes
que él creía que eran sus prisioneros.

Capítulo VI

OTRA AVENTURA

SIGUIERON el camino en dirección a cierto lugar llamado
Puerto Lápice y tuvieron otras muchas aventuras,
de las que también salieron sin provecho
y con múltiples golpes.

Demasiadas fueron para contarlas todas;
pero baste una como botón de muestra:

Ocurrió que, algo más allá
de Puerto Lápice,
don Quijote y Sancho
hablaban de sus cosas:

—No sé yo qué sacamos
en limpio de todo esto
que vos llamáis aventuras
y yo desventuras.
Lo que a mí me parece
es que sería mejor volver
a nuestro pueblo,
ahora que aún es tiempo
de siega —decía Sancho.

—Calla y ten paciencia,
que vendrá el día
en el que tú mismo verás
el enorme provecho
de estas aventuras nuestras
—decía don Quijote.

—Pues, desde que vos os hicisteis caballero andante
y yo escudero, no hemos vencido en ninguna batalla
—se lamentó Sancho.

Y de pronto don Quijote descubrió que en el camino se levantaba
una espesa polvareda, y exclamó alegremente:

—Este es el día, ¡oh, Sancho!, en el que, por fin, has de ver
mi buena suerte. Este es el día en el que demostraré mi gran
valor al mundo entero. ¿Ves aquella polvareda que se acerca?
Pues lo que la causa es un grandísimo ejército.

—En tal caso, deben de ser dos ejércitos
los que se acercan, porque yo veo
dos polvaredas —dijo Sancho.

«Tiene razón Sancho. Son dos ejércitos»,
pensó don Quijote. Su imaginación se puso
a cavilar y, al instante, una fantástica historia
se formó en su mente:

—Esos dos grandes ejércitos se disponen a entrar en batalla.
Y has de saber, mi buen Sancho, que al ejército que viene
por enfrente lo conduce el malvado emperador Alifanfarón
de Trapobana, y al que viene por detrás, el buen
rey Pentapolín del Arremangado Brazo. ¿No oyes, Sancho,
el relinchar de los caballos y el sonido de las trompetas
y tambores? —preguntaba don Quijote, cada vez más excitado.

Sancho respondía que no, que no escuchaba nada.

—¿Los ves? ¿Los oyes? —casi gritaba don Quijote cuando la polvareda ya estaba muy cercana.

El asombrado escudero empinaba las orejas como si fuera una liebre y afinaba el oído como si fuera un perro.

—Lo único que oigo son balidos de ovejas y carneros —respondió asombrado.

—Balidos de ovejas y carneros... —rió don Quijote—. Otra vez tienes miedo, Sancho. Y el miedo confunde los sentidos y hace que las cosas parezcan lo que no son. Pero si tan asustado estás, apártate a un lado, que yo solo me uniré al ejército del buen Pentapolín, porque es el más justo de los dos.

Diciendo esto, don Quijote espoleó al desgraciado Rocinante y lo hizo lanzarse por una cuestecilla abajo contra uno de los rebaños de ovejas que se acercaban, porque rebaños eran, y no ejércitos.

Al pobre Sancho otra vez le tocó asustarse y gritar para tratar de detenerlo:

—¡Vuélvase, mi señor don Quijote, que son carneros y ovejas! ¡Vuélvase...! ¿Qué locura es esta? Mire que no hay reyes, ni caballeros, ni armas, banderas, trompetas ni tambores...

Pero, una vez más, don Quijote no lo escuchaba.

—¡Seguidme, caballeros del buen rey Pentapolín, que yo os llevaré a la victoria!

Esto, o algo muy parecido, gritaba don Quijote mientras galopaba.

Luego se metió en el rebaño de ovejas y carneros y comenzó a atacarlos como si fueran sus mayores enemigos.

Los asustados animales corrían con enorme espanto y mayor asombro. En cuanto a los pastores, vociferaban a aquel loco de atar para que se detuviera.

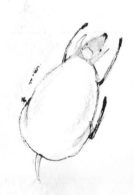

Pero don Quijote no les hizo el menor caso, de modo que sacaron sus hondas y le arrojaron piedras como puños hasta que cayó derrumbado del caballo.

Luego, los pastores reunieron sus rebaños y, a toda prisa, marcharon a lugares más tranquilos.

Otra vez quedó don Quijote en el suelo sin poder moverse, y lo mismo le ocurrió al triste Rocinante. Otra vez el asno y Sancho corrieron hacia ellos con el miedo en el cuerpo...

44

¡Ay, pobre y alocado caballero, otra vez se metió donde nadie
lo llamaba! Se equivocó de nuevo. Creyó que eran ejércitos
y no rebaños, como antes creyó que eran gigantes y no molinos.
Pero otra vez, por defender lo que él creía justo, no dudó
en ponerse en peligro.

Capítulo VII

EL CURA
Y EL BARBERO

ESPUÉS de la tremenda lucha con aquellos «ejércitos» de lanas y pezuñas, don Quijote decidió continuar marchando hacia ciertos montes que llamaban de Sierra Morena.

En el camino se vieron envueltos en otras muchas aventuras, de nuevo disparatadas, de las que solo obtuvieron todavía más golpes.

Ya en las sierras, don Quijote le pidió a Sancho que fuera a buscar a Dulcinea y le entregara una carta suya.

Sin embargo, Sancho nunca llegó a El Toboso, ya que, a mitad de camino, se encontró con el cura y el barbero de su pueblo.

Pero ¿quiénes eran el cura y el barbero? ¿Y qué pintan aquí?

Tanto el cura como el barbero eran dos grandes amigos de don Quijote. Y pintar, pintan mucho, porque los dos salieron en busca del caballero cuando él y Sancho desaparecieron del pueblo sin decir una palabra a nadie.

Se habían detenido en una posada del camino y, por casualidad, se encontraron con Sancho.

—Amigo Sancho Panza, ¿dónde está tu señor? —le preguntaron.

—Mi señor está en ciertos montes, y yo voy a El Toboso para entregar una carta suya a una labradora, a quien él cree dama y llama doña Dulcinea, y de la que está perdidamente enamorado. Se ha hecho caballero andante y ahora se llama don Quijote de la Mancha. Yo soy su escudero, y vamos juntos por el mundo en busca de aventuras con las que ganar un reino o un imperio. Me tiene prometido que, cuando él sea rey o emperador, me entregará el gobierno de alguna isla.

El cura y el barbero se asombraron
de la locura del caballero
y de la simpleza del escudero,
y enseguida decidieron
que tenían que sacar
a don Quijote de los montes
en los que se hallaba para llevarlo
de vuelta a casa.
De modo que convencieron
a Sancho para que los llevara
junto a su señor y se olvidara
de eso de marchar a El Toboso.

En fin, hacia Sierra Morena
se dirigieron, y hay que decir que
el cura y el barbero se pusieron
dos disfraces, muy ridículos,
por cierto, para que don Quijote
no los reconociera.

De todas formas, se sentían
temerosos de que el caballero
no quisiera acompañarlos.

Por suerte, conocieron
a una hermosa dama que dijo
que estaba dispuesta a ayudarlos
en lo que hiciera falta.

Y así, entre todos idearon un plan
y luego marcharon juntos
hacia los montes en los que
el caballero había quedado.

Después de unos días de marcha, divisaron a don Quijote
entre unas afiladas y altas peñas.

La hermosa dama fue sola a su encuentro, y al llegar junto a él,
se le echó a los pies y dijo, con muy tristes palabras:

—De aquí no he de levantarme, valiente y famoso caballero,
hasta que no me prometáis que me haréis un inmenso
y difícil favor.

Viéndola tan hermosa y tan apenada, el corazón
de don Quijote se conmovió al instante:

—Levantaos, bella dama, que ya tenéis concedido
el favor que me pedís, sea este el que sea
—dijo enseguida, alzándola del suelo.

—Lo que yo os pido es que me acompañéis y luchéis con
el malvado gigante que me ha arrebatado el reino de Micomicón,
del que yo soy la única heredera —explicó la joven.

—Ya podéis olvidar vuestra tristeza, hermosa princesa, pues ese
malvado gigante será vencido y muy pronto estaréis sentada
en vuestro trono —respondió don Quijote, y, sin perder
un minuto, se puso en marcha.

Y así fue como el caballero se halló de nuevo en el camino.
Dispuesto, una vez más, a ayudar a quien creía
que lo necesitaba.

En fin, hacia el reino de Micomicón se figuraba que se dirigían.
Sin embargo, no había gigante, ni reino ni princesa.
Hacia su pueblo y su casa lo llevaban, con engaños
y contra su voluntad.

Capítulo VIII

DE VUELTA A CASA

PARA descansar,
se detuvieron en una
posada del camino.

Cuando don Quijote la vio,
no pensó que era posada,
sino un castillo encantado.

En el tal castillo encantado
pasaron varios días, y algunas
extrañas cosas le sucedieron.
Pero muchas fueron
para contarlas aquí y ahora.

Al fin llegó el momento de volver a ponerse en camino,
y el cura y el barbero no sabían cómo quitarle de la cabeza
a don Quijote aquel disparate que habían inventado,
es decir, eso del reino de Micomicón y de devolver
su trono a la princesa, de modo que, con la ayuda de algunos
amigos que en la posada habían conocido, idearon
un nuevo plan, aunque esta vez no le dijeron una palabra
a Sancho.

Esto fue lo que hicieron
una noche, cuando don Quijote
dormía profundamente:

A la luz de la luna, apareció
en la habitación del caballero
un silencioso y extraño grupo de
personas disfrazadas: uno parecía
un diablo con cuernos y rabo;
otro, un ser monstruoso con un
solo ojo y dos bocas; el que estaba
a su lado tenía cabeza de dragón,
y el de más allá la tenía de león...

«Chist...», se decían unos a otros,
tratando de contener la risa, y, con
gran rapidez, ataron al dormido
caballero de pies y manos.

Don Quijote despertó, aturdido
y asustado, y se encontró
con que no podía mover ni un
dedo y, además, estaba rodeado
de extrañas y temibles figuras.

«Debo de estar encantado, puesto
que no puedo moverme, y estos
que me rodean son los fantasmas
del castillo», se dijo a sí mismo.

Pero no pronunció una palabra,
ni siquiera cuando lo sacaron,
primero de la habitación
y luego del castillo.

Tampoco se quejó cuando lo encerraron en una jaula
hecha de palos, de esas que se usaban para transportar
animales.

Bien sabía él que los verdaderos caballeros andantes
tenían que soportarlo todo con paciencia.

Los «fantasmas del castillo», después de encerrar
a don Quijote en la jaula, pusieron esta sobre una carreta
tirada por bueyes.

En silencio y a la luz de la luna, empezaron a marchar:
la carreta, el carretero, los fantasmas, el cura y el barbero,
disfrazados... Y Sancho, el triste y asombrado Sancho,
que no sabía si su señor estaba o no encantado,
pero le dolía el corazón al verlo en la jaula.

Como ya se ha dicho, don Quijote no protestaba,
y encantado se creía; pero había algo que le extrañaba,
por eso se volvió a Sancho y le dijo, más o menos, lo que sigue:

—Muchas historias he leído yo de caballeros encantados,
pero en ninguna de ellas los llevaban de esta forma.
Siempre solían transportarlos por los aires, a enorme velocidad,
encerrados dentro de alguna oscura nube, o sobre algún
monstruoso animal con alas. Esto me extraña mucho, aunque
quizás sea que los encantamientos de ahora son distintos
a los de antes. ¿Qué te parece a ti, Sancho amigo?

—No sé yo lo que me parece, porque nada sé de caballeros
andantes, y aún menos cuando están encantados
—respondió Sancho con tristeza.

Y con tristeza siguieron el camino.

En fin, algunas cosas sucedieron todavía en aquel largo y pesado
viaje de vuelta; pero casi todas carecen de importancia.
Lo único importante es que aquellos que una noche salieron
de aventura con los corazones alegres, soñando con conquistar
reinos e islas, volvieron a su pueblo sin haber conseguido
otra cosa que no fueran burlas y golpes.

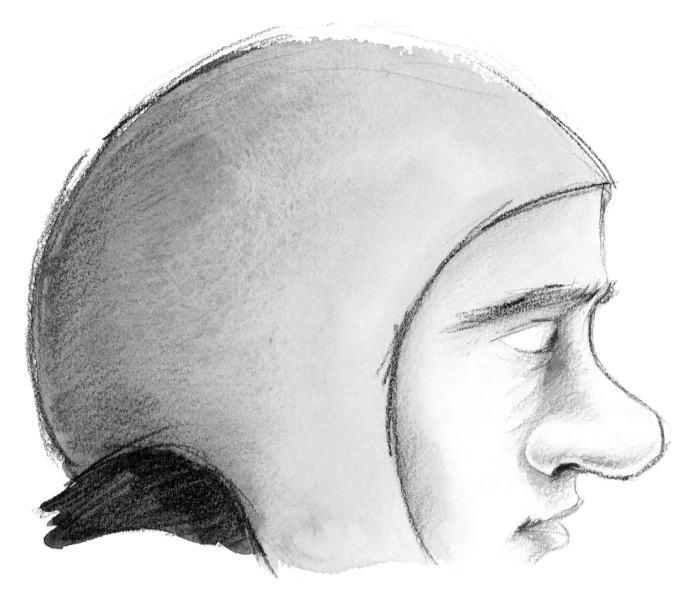

Don Quijote no dijo una palabra a nadie, pues aún se creía
encantado, y los que están encantados apenas hablan.
Pero por dentro pensaba que, en cuanto cesara aquel
encantamiento, volvería a marchar por esos caminos
de Dios, pues caballero andante era, y los caballeros
andantes no reposan mientras en el mundo quede
una sola injusticia.

En cuanto a Sancho, dispuesto estaba a marchar de nuevo
con su señor a cualquier parte, y, además, no perdía
las esperanzas de que don Quijote acabara conquistando
un reino o un imperio, y así lo nombrara gobernador
de alguna isla.

SEGUNDA PARTE

Capítulo I

DE NUEVO EN LOS CAMINOS

UN mes entero, un larguísimo mes, permaneció don Quijote sin salir de casa ni hablar con nadie.

—Lo mejor será que duerma y que descanse —decían el ama y la sobrina.

Así que solo lo dejaban casi todo el día, y como también le habían quitado sus libros, don Quijote no podía hacer otra cosa que no fuera comer y dormir. O eso creían ellas, porque la verdad era que lo que el caballero hacía era pensar y soñar despierto.

Y ¿en qué pensaba?
¿Qué era lo que soñaba?

Pensaba en las muchas y grandes injusticias que en el mundo hay, y soñaba con que era él quien las remediaba.

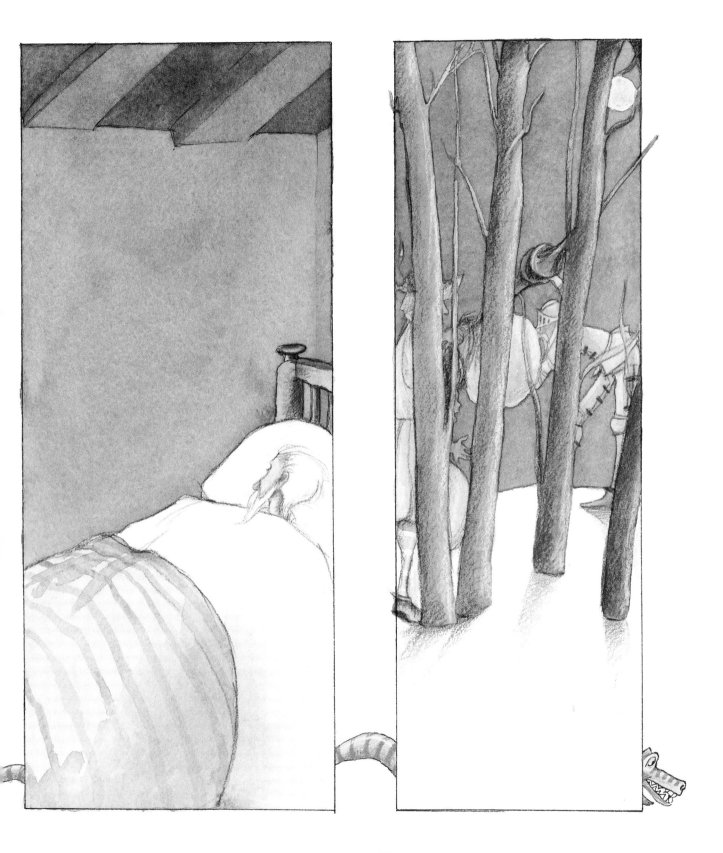

Día a día, sus pensamientos y sus sueños
crecieron, de tal modo que acabaron
por no caber dentro de su cabeza,
y fuera de su cabeza veía las cosas
con las que soñaba.

Así, unas veces le parecía que la habitación
estaba llena de hermosas y desgraciadas
doncellas y tristísimas viudas..., y otras
veces de enormes gigantes, perversos
magos o peligrosos dragones...

Pero en quien más pensaba don Quijote,
con quien hablaba en sueños,
era con su amada y dulcísima Dulcinea.

Mientras don Quijote pensaba y soñaba,
el pobre Sancho Panza se moría
de aburrimiento.

Y no era solo aburrimiento lo que
Sancho sentía; además, echaba en falta
a su señor don Quijote.

Por otra parte, le dio por pensar que quizás
el caballero también lo echara en falta a él:

«Ahora estará solo, y con nadie hablará;
ahora nadie lo escuchará; antes yo
lo escuchaba, y eso a él le gustaba,
y a mí también...», se decía Sancho.

Tantas vueltas le dio a eso de la soledad
de su señor, que un buen día se plantó
en casa del caballero.

—¿Qué haces aquí, Sancho Panza de los diablos?
¡Vete ahora mismo, pedazo de mostrenco! —gritó el ama
cuando le abrió la puerta.

Sancho no se movió.

—¡Que te vayas te digo, gañán! ¡Vete y no molestes
a don Alonso, que eres tú el que le llena la cabeza de disparates!
—siguió gritando el ama.

—¿Que yo le lleno la cabeza de disparates? Pero ¿qué dices,
ama de Satanás? —chilló Sancho, indignado.

No sé, no sé yo lo que hubiera pasado si, en ese preciso
momento, don Quijote no hubiera gritado también:

—¡Cierra la boca, ama, y deja pasar a mi buen escudero
Sancho Panza sin perder un minuto siquiera!

Había que ver la alegría reflejada en los ojos de Sancho
y el enfado asomando a los ojos del ama.

—¡Sin perder un minuto! —se burló él, corriendo escaleras
arriba.

Muchas cosas se dijeron el caballero andante y su escudero.
Cosas de confianza y amistad eran todas. Y después de decirlas,
se pusieron de acuerdo para volver a salir al mundo,
le pesase a quien le pesase.

Así, pasados pocos días, de nuevo salieron don Quijote y Sancho
de sus casas para correr aventuras y luchar contra las injusticias.

Y otra vez se pusieron en marcha con los corazones alegres,
convencidos de que, en esta ocasión, las cosas les irían mucho
mejor que en la anterior, y de que, cuando regresaran al pueblo,
uno sería emperador o rey, y el otro, por lo menos gobernador.

Capítulo II

HACIA EL TOBOSO

COMO ya se ha dicho, don Quijote y Sancho marchaban en amor y compaña, tan tranquilos y contentos.

Pero, de pronto, don Quijote dijo, más o menos, lo que sigue:

—Antes de ir hacia cualquier otro lugar, tengo decidido, Sancho, que nos lleguemos a El Toboso. Allí tú me llevarás hasta el palacio de mi señora Dulcinea, y yo, puesto de rodillas delante de ella, le diré lo mucho que la amo.

Al oírlo, a Sancho se le cayó el alma a los pies, ya que, cuando su señor lo envió a entregar una carta a Dulcinea, él no llegó a El Toboso, sino que se encontró con el cura y el barbero y con ellos se quedó.

Todos lo sabemos, pero don Quijote no lo sabía, porque, cuando luego le preguntó a su escudero si había visto a su dama, él, por no verse envuelto en líos, le dijo que sí, que la había visto.

Cabalgaron durante
toda la jornada,
y al entrar
en El Toboso ya era
de noche.

A don Quijote
el corazón se le puso
a latir como si fuera
campana en día
de fiesta, y a Sancho
le latía como
campana en día
de entierro.

—Vamos pronto,
Sancho amigo,
condúceme al palacio
en el que mi señora
vive, que me muero
por verla —decía
don Quijote.

—Pero ¿no veis, señor, la hora que es? Todo el mundo duerme...
¿Qué queréis que hagamos cuando lleguemos al palacio, golpear
las puertas y llamar a gritos a la señora Dulcinea como si
estuviéramos locos...? ¿Y si sus criados nos echan los perros?
¿Y si nos arrojan agua desde las balconadas...? ¿No sería mejor
que nos fuéramos ahora del pueblo y que mañana regresara
yo solo, buscara a la dama y le anunciara vuestra visita?
—preguntó Sancho.

—Bien has hablado, y con muchísima prudencia —dijo
don Quijote, y el asustado Sancho vio el cielo abierto.

En un bosque cercano
pasaron la noche,
y en cuanto salió el sol,
Sancho se puso en
marcha hacia El Toboso.

Pero no llegó al pueblo, sino
que, en cuanto don Quijote
se perdió de vista, desmontó
del asno, se tumbó debajo
de un árbol y se puso
a pensar en el tremendo
apuro en el que se hallaba.

De pronto, vio que por
el camino se aproximaban
tres labradoras, montada
cada una en su borrico.

No eran hermosas, tampoco delicadas, ni siquiera
muy limpias; pero a Sancho se le encendió una idea
en la mente:

«Después de todo, mi señor don Quijote no conoce
a su señora Dulcinea, y si confunde gigantes con molinos
y ejércitos con rebaños, también pudiera ser que confundiese
a alguna de estas labradoras con
una bella y delicada dama...».

Esto fue lo que pensó
el apurado Sancho,
y pensándolo, se levantó
de un salto e hizo correr
al asno hasta donde
don Quijote había quedado.

—¡Señor, salid del bosque
y veréis que vuestra señora
Dulcinea viene a buscaros
con dos de sus doncellas!
—le gritó al caballero.

—¿Qué dices, Sancho...?
No me engañes, ¡por Dios!
—exclamó don Quijote.

Y salió del bosque temblando
de emoción.

—Yo solo veo a tres labradoras
montadas en tres burros grises
—le dijo a su escudero.

—¡Dios me libre!
—exclamó Sancho,
llevándose las manos
a la cabeza—. ¿Cómo podéis
confundir tres caballos
blancos como la nieve con
tres borricos grises? ¿Y a tres
hermosas damas con tres
sencillas labradoras...?

Y después de decir todos
estos disparates,
bajó a toda prisa
de su asno, se echó
de rodillas delante del burro
de una de las labradoras
y exclamó algo
muy parecido a esto:

—¡Reina y princesa
de la hermosura, aquí tenéis
al famoso caballero andante
don Quijote de la Mancha,
que os ama de tal modo
que ni de día ni de noche
deja de pensar en vos
y en vuestra incomparable
belleza!

—¡Por las barbas
de mi suegro,
con lo que sale este...!
—gritó la labradora.

75

En cuanto a don Quijote,
contemplaba con los ojos
fuera de las órbitas a aquella
a quien Sancho llamaba reina
de la hermosura y que a él
le parecía ser aldeana,
y muy fea, por cierto,
hasta que, tristemente, dijo:

—Levántate, Sancho, porque
ese malvado mago, el que
convirtió a los gigantes
en molinos, ha encantado a mi
señora Dulcinea y ha mudado
su belleza en fealdad
y su delicadeza en ordinariez.

—¡Toma, mi abuela...!
—chilló la labradora, enfadada
y perpleja, y luego le dio con
la vara al pobre borrico,
con tal fuerza que el animal
comenzó a correr como alma
que lleva el diablo.

—¡Ay...! —se lamentaba
don Quijote—. Cuando
al fin encuentro a mi dama,
un mal mago me la convierte
en una fea labradora... ¡Qué
desgraciado soy, Sancho amigo,
el más desgraciado de todos
los hombres de este mundo...!

Capítulo III

LA AVENTURA DE LOS LEONES

ESDE El Toboso se pusieron nuevamente en camino. Tenían la intención de llegar, al menos, hasta Zaragoza, donde cada año se celebraban unas grandísimas y muy solemnes fiestas.

Pero el caballero llevaba el corazón triste, y en su confusa mente no había lugar más que para un solo pensamiento: su pobre y encantada señora Dulcinea. Por eso no hacía mucho por buscar nuevas aventuras.

De todas formas, aunque don Quijote no las buscaba, las aventuras sí le salieron al encuentro, y como al fin y al cabo era caballero andante, acabó metiéndose de lleno en algunas de ellas. Ahora narraremos una de las más chocantes y peligrosas.

La cosa sucedió así: de pronto, don Quijote y Sancho vieron acercarse una carreta de la que tiraban varias mulas.

Sobre la dicha carreta había dos enormes y cerradas cajas.

—¿De quién es este carro? ¿Qué es lo que lleváis en él? —preguntó intrigado don Quijote al hombre que la conducía.

—El carro es mío. En él llevo, enjaulados, dos fieros leones que vienen de África. Son un regalo que un poderoso señor de aquellas tierras hace a nuestro Rey.

—Y ¿son grandes esos dos leones?

—¡Enormes! Yo, que soy leonero, nunca los he visto tan grandes. Son hembra y macho, y hoy no han comido todavía, así que apartaos y dejadnos seguir, porque están hambrientos.

—¿Pretendéis asustarme? —preguntó don Quijote, dando un paso adelante. Y enseguida añadió—: Pues habéis de saber que a mí nada me asusta, ¡tampoco vuestros leones hambrientos! Y para demostrarlo, bajad del carro y abrid esas dos jaulas.

—Señor, señor, pero ¿qué estáis diciendo? —dijo Sancho, asustado.

—Quita de ahí, Sancho, y no te alteres, que son leones encantados.

—Que no, señor, que son de carne y hueso, que he visto yo sus enormes garras por las rendijas de la jaula.

80

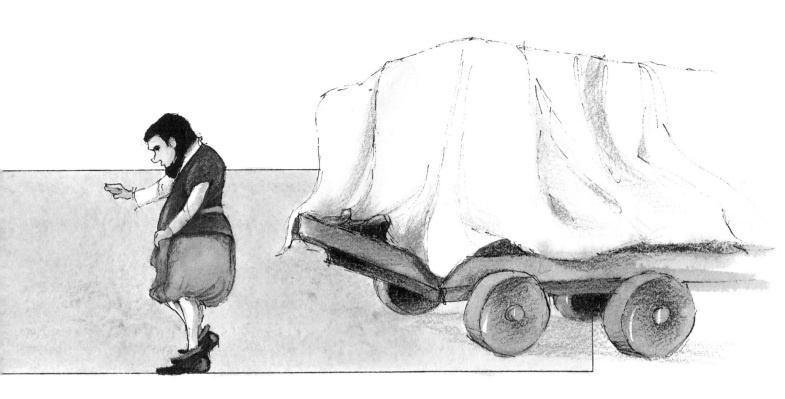

—De nuevo el miedo se ha apoderado de ti; pero yo
a nada temo. Apártate si quieres, pues me dispongo a luchar
con estos fieros animales.

¿Apartarse...? Sancho Panza hizo mucho más que eso...

—Corre todo lo que puedas, asno mío —le dijo a su borrico,
y el asno corrió como una liebre.

Don Quijote descendió entonces del caballo y avanzó hacia
las jaulas con la espada en una mano y el escudo en la otra.
Mientras, gritaba al leonero:

—¡Abrid las jaulas!

El asombrado leonero pensó que, si no las abría, aquel loco
de atar acabaría atacándolo a él. De modo que abrió
una de las dos jaulas, y muy claro se vio que el enorme león
que dentro de ella estaba no era cosa de encantamiento.

Frente a frente quedaron el Rey de la Selva y el Rey
de los Caballeros Andantes.

El caballero se preparó para la lucha; pero el león, lo primero
que hizo fue estirar las garras, abrir la enorme bocaza, bostezar
de aburrimiento y lavarse la cara y las manos con la lengua.
Luego, sacó la enorme cabezota de dorada melena y miró
a don Quijote.

Don Quijote lo esperaba impaciente, deseoso de demostrar
su valor; sin embargo, el Rey de la Selva se dio la vuelta,
tranquila y lentamente, y volvió a tumbarse dentro de la jaula.

Asombrado se quedó el leonero y muy enfadado don Quijote,
pensando que aquel león encantado era el mayor de los cobardes.

A lo lejos, Sancho seguía esperando tembloroso.
¿Qué esperaba...? ¿Un rugido terrible y un grito de espanto
y de agonía...? Pues sí, más o menos eso. Pero lo que oyó fue
la voz de don Quijote que lo llamaba...

—¡Que me maten si mi señor no ha vencido al león! —exclamó
maravillado. Y aún se maravilló mucho más cuando
el leonero le dijo que ni siquiera hubo lucha,
pues viendo el león la valentía del caballero
andante, ni se atrevió a salir de la jaula.

—Lo que sucede, Sancho, es que mi enemigo,
el mago, encantó a ese león para asustarme
y vencerme; pero ya te he dicho
que no hay encantamientos que valgan
contra la verdadera valentía —replicó
don Quijote.

Y dicho esto, el señor y el escudero
siguieron su camino.

Capítulo IV

El Duque
y la Duquesa

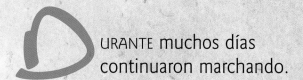 URANTE muchos días
continuaron marchando.

Se hallaban ya muy lejos de La Mancha
cuando se encontraron con cierto
duque y su mujer, que, por casualidad,
habían oído hablar de las extrañas
aventuras que de ellos se contaban.

Los Duques eran gente desocupada
y rica, y además, también eran
de esas personas necias que piensan
que, por ser poderosas, pueden siempre
burlarse de quien les apetezca.
Por eso, invitaron a su castillo a don
Quijote y Sancho. Querían divertirse
a costa de los dos, únicamente eso.

El pobre caballero aceptó agradecido
la invitación, y hacia el castillo
se dirigieron todos.

El Duque se adelantó a los demás para decir a sus servidores que fingieran creer que don Quijote y Sancho eran un caballero andante y su escudero.

Así, cuando los dos llegaron al patio del castillo, se vieron rodeados por un gran número de criados que se inclinaban ante ellos gritando:

—¡Bienvenido sea la flor y nata de los caballeros andantes!

Don Quijote, ante tan gran recibimiento, olvidó por un momento sus penas amorosas y se sintió el más feliz de los caballeros andantes.

En cuanto a Sancho, se sentía tan contento que a punto estuvo de estallar dentro de su pellejo.

Con los Duques y algunos otros invitados cenaron poco después.

—Dicen que la señora doña Dulcinea es una de las más hermosas damas de la tierra —dijo de pronto el Duque.

Al oír tales palabras, a don Quijote se le nubló la mirada y tristemente dijo:

—Habéis de saber que la he hallado encantada, y convertida de princesa en labradora y de hermosa en fea.

—¡Válgame Dios! —exclamó el Duque como si estuviera espantado—. ¿Quién ha sido el que tanto mal ha hecho?

—¿Quién ha de ser sino un mago, que siempre me persigue y procura hacerme el mayor mal que puede? —explicó don Quijote, y el Duque dijo que ese mago era perverso y trató de consolar al caballero.

Pero, en cuanto
se levantaron
de la mesa y cada uno
se fue a descansar, el Duque
y la Duquesa se pusieron
a pensar en una burla
o broma que tuviera
relación con la encantada
Dulcinea, y los dos
querían que fuera
lo más disparatada
y divertida posible.

Aquella misma
noche la idearon;
sin embargo, tardaron
varios días en prepararla,
con la ayuda de sus criados,
ya que todos, o casi todos,
estaban en el ajo.

Por fin llegó el momento de la sonada
broma: el Duque, la Duquesa,
don Quijote y Sancho se dispusieron
a salir de caza, acompañados
de otros muchos cazadores.

Durante casi todo el día estuvieron
cazando en un espeso bosque
que estaba rodeado de montañas; pero la gran broma
solo comenzó cuando en el bosque empezó a anochecer.

89

De pronto oyeron un ruido terrible: trompetas, tambores y cientos y más cientos de cascos de caballos.

Callaron los cazadores y se miraron los unos a los otros como si estuvieran aterrados. Don Quijote se sentía asombradísimo, y al pobre Sancho no le llegaba la camisa al cuerpo.

Pero lo más extraño aún estaba por venir.

En primer lugar vieron aparecer a alguien que llegaba a galope tendido. Estaba vestido de demonio y tocaba un larguísimo cuerno de guerra.

—Yo soy el Diablo. Voy a buscar a don Quijote de la Mancha, y la gente que viene detrás de mí es un ejército de encantadores que traen hechizada a la hermosísima señora doña Dulcinea del Toboso —explicó aquel demonio, y se alejó enseguida.

Don Quijote y Sancho parecían dos estatuas de cera.
Sobre todo Sancho no comprendía nada:

«¿Encantada Dulcinea...? Pero si fui yo el que inventó
eso del encantamiento...», se decía asombrado.

Enseguida vieron que se acercaban tres carretas tiradas
por bueyes. En cada una de ellas estaba sentado un viejo
encantador vestido de negro y con muy largas
y blancas barbas, acompañado de dos diablos.
Detrás de las carretas marchaban muchísimas gentes
con armas en las manos o tocando tambores y trompetas.

El pobre Sancho temblaba como una hoja, y ni moverse podía.

Después de que pasaran las tres carretas, cesaron los ruidos
de trompetas y tambores, y comenzó a sonar una dulcísima
música. Fue entonces cuando apareció una carroza
hermosamente adornada.

Sentada sobre un trono, se divisaba a una joven con el rostro oculto por un velo. A su lado había una alta y delgada figura que también estaba cubierta.

Los ojos de don Quijote se posaron en la joven con tal amor y ansiedad que, a pesar de la burla, el Duque y la Duquesa se sintieron emocionados.

Y de pronto, la alta figura se arrancó el velo y mostró un rostro tan huesudo y horrible como el de la misma Muerte.

Hasta don Quijote se sobresaltó al verlo, y Sancho sintió tal terror que a punto estuvo de desmayarse.

Aquel terrible ser comenzó a hablar. Pronunció un largo discurso del que solo nos interesa el final, que, más o menos, fue este:

—A ti, valiente don Quijote, he de decirte que, para que la señora Dulcinea del Toboso, aquí presente, deje su encantamiento, es necesario que Sancho se dé tres mil y trescientos azotes en sus redondas y carnosas posaderas.

—¡Por mis barbas! —gritó Sancho, sorprendido e indignado—. No sé yo qué tiene que ver mi trasero con esto de los encantamientos... ¡Tres mil y trescientos azotes...! ¡Ni tres pienso darme!

—¡Villano! ¡Miserable! —gritó dolido y furioso don Quijote—. Yo te tomaré por la fuerza y te daré no tres mil azotes, ¡sino seis mil!

—No puede ser así, pues esos azotes se los ha de dar Sancho por su voluntad —dijo el extraño ser que antes había hablado.

—¡Ni por voluntad ni por fuerza! —aseguró Sancho, y la furia de don Quijote se convirtió en tristeza.

94

Viendo su enorme dolor,
a Sancho se le ablandó el alma.

—En fin, me daré esos tres
mil y trescientos azotes;
pero ha de ser poco a poco
y cuando yo quiera
—dijo mirando a su señor.

—Bien, que sea como decís
—consintió la extraña figura.

Justo en ese momento volvió
a sonar la música y el carro
se puso de nuevo
en movimiento y comenzó
a alejarse.

Don Quijote se colgó del cuello de Sancho y lo llenó de besos.
Mientras tanto, el Duque, la Duquesa y todos los demás
se morían de risa, aunque siempre por dentro.

De vuelta en el castillo, las bromas continuaron, pues, por lo que
parecía, los Duques nunca se cansaban de divertirse. Asombroso
era que ni don Quijote ni Sancho se dieran cuenta de esas burlas;
pero los dos tenían buen corazón y, como de nadie se burlaban,
ni se les ocurría pensar que alguien se burlara de ellos.

Pero la mayor de todas las bromas fue la que tuvo que ver
con Sancho y con el gobierno de cierta isla.

Capítulo V

EL GOBIERNO DE UNA ISLA

UCEDIÓ que, cierto día, alguien le preguntó a Sancho más o menos lo siguiente:

—¿Es cierto, Sancho, que vuestro señor os tiene prometido haceros gobernador de una isla?

—Cierto es, si él consigue conquistar un reino o un imperio. Pero ya voy perdiendo las esperanzas de que suceda alguna de estas cosas.

—¡No, amigo Sancho! No perdáis esas esperanzas de ser gobernador, ¡porque ahora mismo yo os concedo el gobierno de una isla que es de mi propiedad! —exclamó el Duque con exageradas voces.

Asombrado y loco de contento, se echó
Sancho al suelo y besó y rebesó los pies
del Duque y luego las manos de la Duquesa.

En cuanto a don Quijote, se sentía
en el séptimo cielo, y tuvo que hacer
un gran esfuerzo para contener las lágrimas.

Una burla era todo, por supuesto, la reina
de las burlas; pero, una vez más, ni don
Quijote ni Sancho cayeron en la cuenta.

Algún tiempo pasó todavía hasta que
Sancho Panza marchó a la tal isla, que, por
cierto, se llamaba Barataria. Y durante todo
ese tiempo, don Quijote le estuvo dando
sabios y prudentes consejos para
que siempre fuera un buen gobernador.

Pero como todo llega en este mundo, llegó
el día de la marcha.

Con mucho sentimiento se despidió Sancho
de los Duques. Luego se arrodilló ante don Quijote,
y llorando como una Magdalena, le pidió
la bendición. Acompañaba a Sancho Panza
una gran comitiva de pajes y criados,
y además, un hombre de confianza
del Duque, que iba a ser su consejero.

Después de algún tiempo de marcha,
llegaron a la isla, que, por cierto, estaba
muy lejos del mar, ya que no era isla,
sino vulgar pueblo. A recibir al nuevo
gobernador salieron todos los vecinos.

Hay que advertir que todos estaban al corriente de la broma.

—¡Viva el mejor gobernador de todas las islas del mundo!
—gritaban, entre disimuladas risas, los del pueblo, y Sancho
sonreía con la sonrisa ancha y los ojos inundados de emoción.

Comenzó a gobernar de inmediato, pues enseguida le dijeron
que había algunos casos que juzgar.

Tres eran esos casos. Los tres difíciles, los tres falsos,
y los tres inventados con la única intención de que Sancho
hiciera el ridículo. Pero los tres resolvió con tanta prudencia
que los que lo rodeaban se sintieron admirados.

Luego fue conducido
a un magnífico palacio,
en el que estaba preparada
una enorme mesa sobre la que
había toda clase de riquísimos
alimentos. Ante ella se sentó
Sancho con los ojos brillantes
de entusiasmo, y junto a él
quedó, de pie, un curioso
personaje que tenía una varilla
en la mano.

Un criado acercó al gobernador
una bandeja de frutas;
pero el de la varilla tocó
la bandeja con ella y el criado
se la llevó al instante.

Después fue un plato
de perdices, y luego otro de
conejos. Pero el de la varilla
también los tocó con ella
y los platos desaparecieron.
Sancho miró al extraño
personaje con indignación y
asombro, y entonces este dijo:

—Yo, señor, soy médico,
y mi misión es la de cuidar
de la salud del gobernador.
Por eso vigilo que solo comáis
lo que es bueno para vuestro
estómago.

—En tal caso, ¡decidme qué es lo que puedo comer
de lo que hay en la mesa! —rugió impaciente Sancho Panza.

—Ternera, ¡no!; cordero, ¡tampoco!; gallina, ¡menos!; confituras, ¡ni olerlas...! Lo que podéis comer son dos o tres finas rodajas de carne de membrillo y dos o tres delgados barquillos de canela.

—¡Quitaos de mi vista, porque si no lo hacéis, voy a moleros a golpes! —gritó Sancho, furioso.

Y justo en ese momento se oyó en la calle el sonido de una trompeta. Era la de un mensajero que traía un aviso del Duque para Sancho Panza, y más o menos, esto era lo que decía:

«Señor don Sancho Panza: Hasta mí han llegado noticias de que unos enemigos míos se preparan para asaltar la isla. El asalto será de noche, aunque no sé cuándo, por lo que conviene estar siempre alerta. También sé que cuatro personas "disfrazadas" han entrado ya en ese lugar con la intención de quitaros la vida. Tened cuidado, por tanto, con quien habláis y con lo que comáis...».

Después
de leído el mensaje
del Duque, el pobre gobernador solo
se atrevió a comer un pedazo de pan
y un racimo de uvas.

Luego llegó la hora de hacer la ronda,
pues el gobernador debía vigilar
para que en la isla no hubiera
desorden ni violencia.

Por fin acabó el primer día
de gobierno; pero cuando Sancho
se fue a la cama, estaba agotado
y hambriento.

Capítulo VI

EL FINAL
DEL GOBIERNO

Los días que siguieron fueron
muy parecidos al primero:
poca comida y muchas burlas
y mucho trabajo; pero Sancho
Panza, a pesar de todo eso, gobernó
lo mejor que pudo, pensando solo
en el bien de las gentes de su isla.
Y aunque aquella larga y pesada broma
estaba a punto de terminar, el final
llegó la séptima noche del gobierno,
cuando Sancho estaba ya en el lecho.

Se le comenzaban a cerrar los ojos,
y de pronto oyó un enorme ruido
de voces y campanas, y también escuchó
trompetas y tambores.

Se levantó de un salto, en camisa
se asomó a la puerta de su habitación
y vio que por el corredor se acercaban
varias personas con teas encendidas
y espadas en la mano.

—¡Armaos, armaos, señor gobernador, que nos
han invadido la isla! —gritaban algunos
de los que corrían.

Enseguida cogieron dos grandes tablas redondas
y se las pusieron a Sancho como si fueran escudos,
una delante y otra detrás, y al cuerpo
se las amarraron, de modo que quedó «entablado»
y sin poder dar un solo paso.

Quiso el pobre gobernador moverse y dio
con sus entablados huesos en el suelo, donde
se quedó como una tortuga; y no fue solo eso,
sino que algunos tropezaron con él y otros le cayeron
encima y lo pisaron.

En el suelo permaneció Sancho hasta que oyó
que alguien decía:

—¡Victoria! ¡Victoria! ¡Los enemigos huyen...!
¡Levántese, señor gobernador, que hemos vencido
y tenemos que celebrarlo!

—Yo no quiero celebrar nada, ¡yo quiero que alguien
me quite estas tablas que me están matando!
—suplicó el dolorido Sancho.

Le quitaron entonces las tablas y lo condujeron
al lecho, donde quedó desmayado y molido.

Cuando hubo descansado un poco, se levantó
Sancho y se vistió lo más deprisa que pudo. Después,
poco a poco, se dirigió a la cuadra y, llegando al lado
de su asno, lo abrazó, le dio un beso en la frente
y con amorosas manos comenzó a aparejarlo.

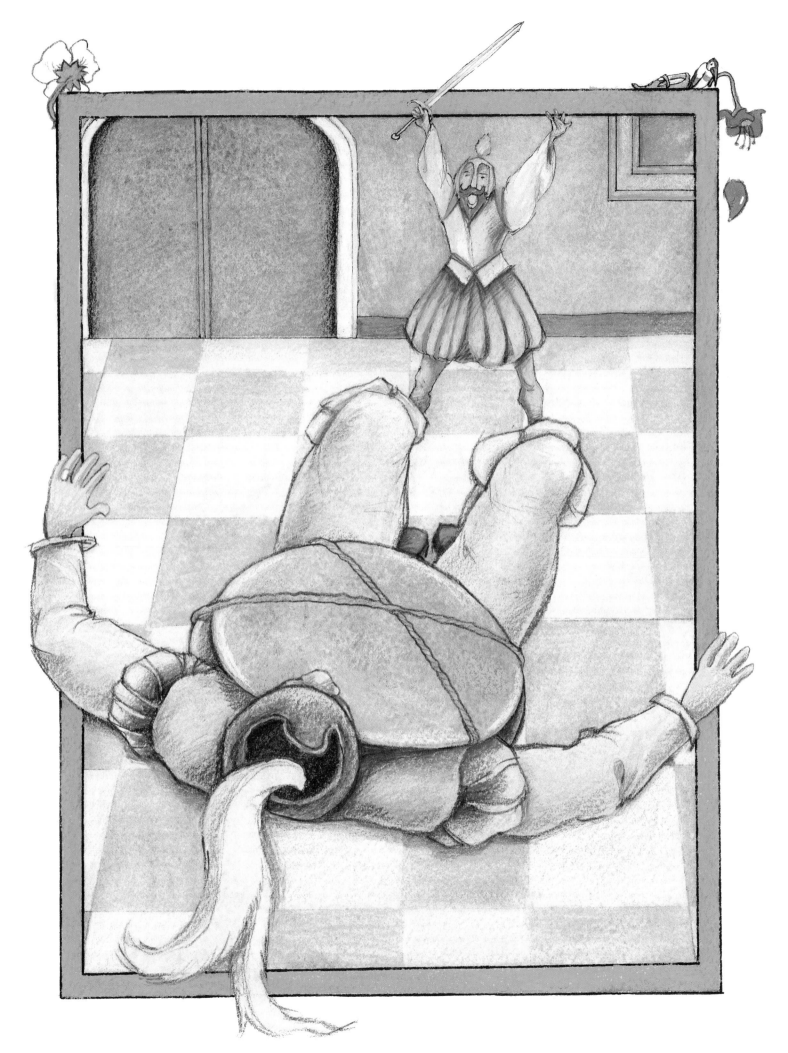

Cuando el asno estuvo aparejado, se subió sobre él y, mirando al hombre de confianza del Duque, al médico de la varilla y a algunos otros que durante aquellos días le habían servido, les dijo con voz clara:

—Dejad paso, señores míos, que vuelvo a mi vida pasada. Yo no nací para gobernador, mejor sé arar y cavar que juzgar y hacer leyes. Quedaos con Dios, que yo con Dios me voy.

Ellos trataron de convencerlo para que no se marchara; aunque al verlo tan decidido, se fueron apartando y lo abrazaron todos. Pero esta vez no fue burla ni broma; con afecto lo hicieron, pues, aunque tarde, comprendieron que, a pesar de ser simple, era prudente y justo, y que quizás hubiera llegado a ser el mejor de todos los gobernadores.

Y así fue como Sancho dejó de ser gobernador para volver a ser escudero.

En busca de su señor marchaba, ansioso estaba de verlo, pues mil veces prefería estar con él que gobernar todas las islas del mundo.

Mientras que Sancho estuvo en el pueblo que él creía isla, don Quijote permaneció en el castillo de los Duques.

Muchas y extrañas cosas le ocurrieron también, todas disparatadas, ya que todas eran únicamente bromas.

En fin, por lo que parece, aquellos Duques no tenían nada mejor que hacer que divertirse y burlarse.

Pero sería muy largo de contar, y tampoco es momento de ser contado.

Digamos solamente que, cuando don Quijote y Sancho se encontraron, se sintieron tan felices como un niño perdido cuando encuentra a su madre, y que en ese momento decidieron que nunca más volverían a separarse.

Además, también decidieron que había llegado la hora de dejar el castillo y volver a marchar, de modo que muy pronto se despidieron del Duque y la Duquesa y de nuevo se pusieron en camino.

Cuando al fin se vieron solos, se sintieron tan libres y aliviados como los mismos pájaros, pues en el castillo se habían sentido un poco prisioneros, y les parecía que la verdadera libertad estaba en ir hacia donde quisieran, sin dar cuenta a nadie.

—La libertad, Sancho, es uno de los mayores bienes que los hombres tienen; con ella no pueden igualarse los tesoros que se encuentran en la tierra ni en los mares —dijo don Quijote, y Sancho, sencillamente, sonrió.

En cuanto al camino que siguieron, no era el que llevaba a Zaragoza, sino a Barcelona, pues don Quijote había cambiado de opinión en el último momento.

Capítulo VII

EL CABALLERO DE LA BLANCA LUNA

BARCELONA les pareció a don Quijote y a Sancho una ciudad hermosa e importante; pero lo que más les impresionó fue el mar, ya que nunca antes lo habían visto. Fue precisamente a orillas de ese mar donde don Quijote recibió el más duro golpe de su vida.

Paseaba por la playa, tranquilamente montado en Rocinante. Lo acompañaba su fiel Sancho, y los dos hablaban de sus cosas. De pronto, vieron acercarse a otro caballero. Montaba sobre un hermoso y fuerte caballo, iba armado de punta en blanco y, en el pecho, llevaba pintada una brillante luna.

—Yo soy el caballero de la Blanca Luna y vengo a desafiaros para que reconozcáis que vuestra señora doña Dulcinea del Toboso es mucho menos bella que mi dama —le dijo a don Quijote.

Don Quijote parpadeó un momento, y pasado el primer asombro, dijo algo muy parecido a esto:

—Caballero de la Blanca Luna, estoy seguro de que nunca habéis visto a mi señora Dulcinea, pues en tal caso sabríais que en el mundo no puede haber otra que ni siquiera se le parezca. De todas formas, ¡acepto vuestro desafío!

—¡No, no peleéis, señores, que las dos damas han de ser igual de bellas! —suplicaba Sancho.

—¿Qué dices, necio? ¡Dulcinea es la reina
de todas las hermosas! —gritó don Quijote.

—¡Callad, insensato, mi dama brilla en un cielo
de estrellas! —exclamó echando chispas el otro
caballero.

En fin, otras cosas dijeron, más o menos
parecidas a estas, hasta que arremetieron
el uno contra el otro.

La suerte estaba echada desde el primer
momento, pues Rocinante era viejo y muy flaco,
y el otro caballo era joven y muy fuerte,
por lo que, al primer encontronazo,
don Quijote y Rocinante dieron con sus huesos
en el suelo, y en él se quedaron, pues no tenían
fuerzas ni para menearse.

—¡Vencido sois, caballero! —gritó
el de la Blanca Luna, poniendo su espada
sobre el pecho de don Quijote—.
¡Confesad que mi dama es la más hermosa!

—¡Dulcinea del Toboso es la más hermosa
dama del mundo! —exclamó don Quijote,
y luego dijo tristemente—: Y yo soy el más
desdichado de los caballeros andantes.
Quitadme la vida, señor, puesto que me habéis
quitado la honra.

—¡No, yo no haré eso! —gritó el vencedor—,
pues reconozco que sois el más leal y valiente
de los caballeros andantes; pero debéis aceptar
una petición que quiero haceros.

—Me habéis vencido, y podéis pedirme
lo que queráis —reconoció don Quijote.

—Os pido que dejéis las armas un año entero
y volváis a vuestra casa sin buscar ninguna clase
de aventura —dijo el caballero de la Blanca Luna,
y, sin más, se dio la vuelta y se dirigió
hacia la ciudad.

Algunas personas que estaban presentes
quedaron asombradas
ante tan extraña petición,
y los más asombrados de todos fueron
don Quijote y Sancho.

Pero ¿quién era, y de dónde venía el caballero
de la Blanca Luna?

Escuchemos lo que él mismo dijo
cuando alguien se lo preguntó:

—Soy el bachiller Sansón Carrasco
y vivo en el mismo pueblo
que don Quijote de la Mancha.
Tras él salí y hasta aquí lo he seguido.
Decidí fingirme caballero andante,
luchar contra él y vencerle,
aunque sin hacerle daño,
para así conseguir que abandonara sus armas
y regresase a casa. Pero os pido que no
me descubráis, pues mi intención
es que don Quijote recobre la salud.

Enseguida, el bachiller Sansón Carrasco salió
de Barcelona y regresó a La Mancha.

Capítulo VIII

Otra vez en el camino

Algunos días más tarde, don Quijote y Sancho también se pusieron en camino.

Don Quijote, además de la tristeza
por haber sido vencido,
no conseguía olvidar que Dulcinea
aún seguía encantada,
por eso marchaba hundido
en una profunda melancolía.

Solo en una ocasión olvidó
sus penas, y fue cuando
se detuvieron cerca de un prado,
en el que vieron a unas jóvenes
y alegres pastoras cuidando
de sus rebaños. Sus ojos
brillaron de repente mientras decía:

—¿Qué te parecería a ti, Sancho, si,
como se cuenta en algunas novelas,
tú y yo nos hiciéramos pastores?

»Ten en cuenta que, en esas novelas, los pastores no son gentes rudas y mal habladas, sino delicadas y amables, que se pasan el tiempo haciendo versos y enamorándose de las más bellas pastoras.

»Yo compraría algunas ovejas, y tú y yo podríamos cuidarlas. Pero tendríamos que cambiar nuestros nombres, pues, en las novelas, los pastores siempre lo hacen.

»Yo me llamaría pastor Quijotiz, y tú, pastor Pancino, y andaríamos por los montes y los prados, cantando y descansando a la sombra de los verdes sauces...

—¡Pardiez!, que me gusta ese género de vida, y estoy pensando que podríamos decírselo a nuestros amigos el cura y el barbero, y también al bachiller Sansón Carrasco.

—¡Muy bien has dicho, Sancho! —se entusiasmó don Quijote.

—¡Válgame Dios! ¡Qué vida hemos de darnos! —exclamó Sancho Panza.

Y así, hablando y soñando, se les echó la noche encima y fueron a tumbarse debajo de los árboles.

Durmiendo estaban cuando los sorprendió un gran estruendo y un terrible y sordo sonido que por los valles se extendía. Se levantó don Quijote de un salto, y Sancho, pálido y espantado, corrió a ocultarse debajo de su burro.

¿Qué sería aquello? ¿Qué peligro los amenazaba? ¿Dragones? ¿Gigantes? ¿Ejércitos...?

124

¡Cerdos...! ¡Vulgares gorrinos...! El caso era que unos hombres llevaban a vender una piara como de seiscientos animales, y era tanto el ruido de gruñidos y pezuñas que a don Quijote y Sancho ensordecieron, y por no estar la noche demasiado clara, no advirtieron que la gruñidora piara llegó en tropel, de modo que pasó por encima de ellos, y también del caballo y el asno.

Cuando se levantaron, pisoteados y revueltos, Sancho estaba furioso, y don Quijote otra vez avergonzado y entristecido.

—No grites, Sancho, contra esos sucios animales ni contra los que los conducen, que esta nueva vergüenza no es otra cosa que un castigo para mi pecado, porque pecado es para un caballero andante el ser vencido.

125

En cuanto salió el sol,
se pusieron en marcha.

De nuevo en el camino,
don Quijote había olvidado
por completo aquella feliz idea
de convertirse en pastor y vivir
en los alegres prados rodeado
de amigos y de ovejas.

Caballero vencido y fracasado
volvía a sentirse, y además
estaba cada vez más
apesadumbrado a causa
de aquel encantamiento de
su señora que, según parecía,
no iba a acabarse jamás.

Por eso suplicó a Sancho que,
por compasión, se diera los azotes
que había prometido darse.

Viendo Sancho cómo sufría su señor,
acabó diciendo que se los daría
lo más pronto posible.

—¡Oh, Sancho bendito! ¡Oh, Sancho
amable! —exclamó don Quijote—.
Cuánto hemos de agradecértelo Dulcinea
y yo... Mira, empieza cuanto antes.

—Esta noche sin falta me los daré —prometió Sancho.

Desde ese mismo momento se puso don Quijote a desear
que llegara la noche, y Sancho a desear que no llegara.
Pero al fin la noche llegó y se adentraron
en un espeso bosque.

Primero comieron y descansaron un poco, que sin comida
y descanso, el buen escudero dijo que no tenía fuerzas
para nada. Don Quijote lo miraba impaciente;
pero Sancho no tardó demasiado en levantarse y,
cogiendo las riendas del asno, se alejó
como unos veinte pasos. Ocultándose
detrás de unos árboles, se desnudó
de medio cuerpo y comenzó
a azotarse.

Mientras tanto, don Quijote
iba contando azotes:

—Uno..., dos..., tres...
—así, hasta llegar a ocho.

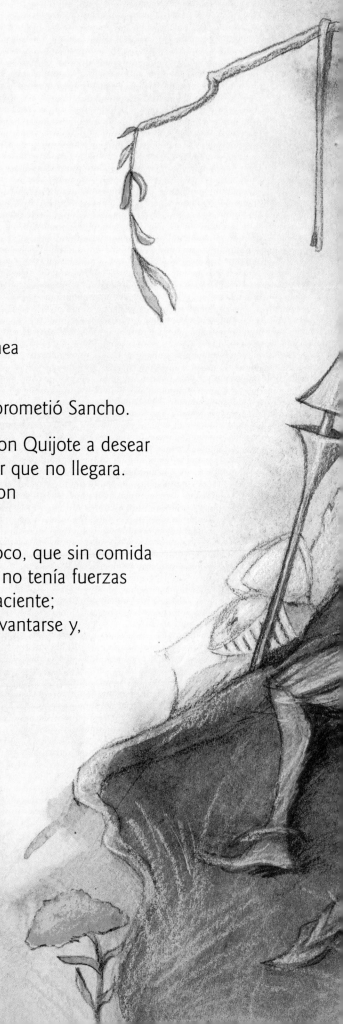

En este punto pensó Sancho que era demasiado, de modo que se puso a pensar en la manera de contentar a su señor sin lastimarse él. Y como era ingenioso, algo se le ocurrió.

De pronto pareció que los azotes llovían: ¡Zas! ¡Zas!

Don Quijote contaba muy deprisa:

—Veinte, treinta, cien, doscientos... cuatrocientos... seiscientos... ochocientos...

—¡Ay! ¡Ay! ¡Qué dolor...! ¡Dios me ayude! ¡Huy! ¡Mi pobre piel, que se cae a tiras...! —gemía Sancho.

—¡Por tu vida, Sancho, déjalo ya y sigue otro día, que más de mil te has dado ya...! —rogó don Quijote.

131

Accedió el muy tramposo Sancho,
pues, de todos aquellos azotes,
su cuerpo recibió únicamente
ocho. Los otros, los más fuertes
y seguidos, los recibieron
los troncos de los árboles.

Con el alba continuaron el camino,
y de nuevo, cuando llegó la noche,
se adentraron en otro espeso
bosque, donde Sancho retomó
la tarea de darse azotes
de la misma manera que la noche
anterior, hasta que se cumplieron
aquellos tres mil y trescientos
que eran necesarios
para que la señora Dulcinea
saliera de su encantamiento.

—¡Por fin...! —susurró el caballero lleno de gozo, imaginando
a su dama de nuevo hermosa, delicada, amable y dulce—.
¡Por fin...! —y pensando en su señora, olvidó su derrota
y sus tristezas.

El pícaro Sancho sonreía, pero con sonrisa alegre e inocente,
como los niños buenos.

Y otras muchas cosas sucedieron hasta que llegaron
a la aldea, donde, después de despedirse
con muy grandes abrazos, se fue cada uno a su casa.

Capítulo IX

LA LLEGADA A CASA

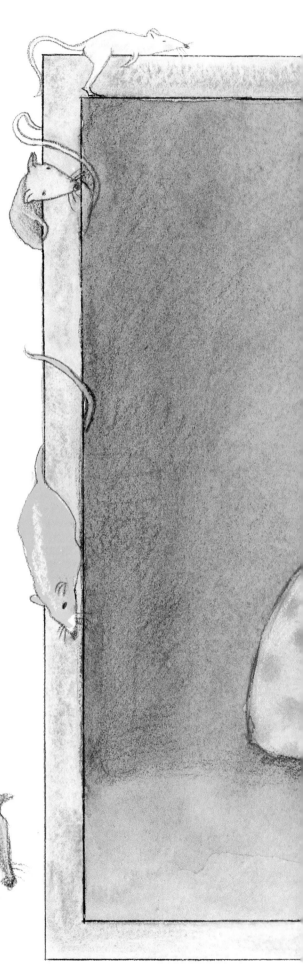

Salió Teresa Panza a recibir a su marido, despeinada y a medio vestir, tal como estaba.

Su hija Sanchica salió también, y en cuanto vio a su padre, comenzó a gritar:

—¿Qué me traéis?

El buen Sancho las abrazó una y mil veces, mientras un reguero de amorosas lágrimas se deslizaba por sus mejillas.

Teresa, cuando pudo zafarse de sus brazos, lo miró atentamente y, viéndolo polvoriento y no muy bien trajeado, dijo:

—Me parece, marido, que más que ser gobernador, eres un desgobernado.

—Calla, calla, mujer, que gobernador fui, y no quiero por nada del mundo volver a serlo. Y ahora, entremos en casa, que ansioso estaba de llegar a ella, y abrid bien las orejas porque vais a asombraros de las extraordinarias cosas que tengo que contaros.

—¿Qué me habéis traído, padre? —seguía preguntando Sanchica.

—Dineros he traído, hija, como unas doscientas monedas que me dio la Duquesa.

Sí, doscientas monedas de esas
que se llamaban ducados dio a Sancho
la señora Duquesa, y seguramente sería
para lavar su conciencia de tanta burla,
pues hay gente que piensa que con
dinero todo se limpia y todo se olvida;
pero el buen Sancho pensó que se
las daba por lo mucho que había
trabajado en la isla.

Lo primero que hizo Sancho cuando
entró en su casa fue dejar el asno
en la cuadra, ponerle paja limpia y agua
fresca, darle un beso en su asnarina
frente y decirle que descansara
tranquilo, pues bien se lo tenía
merecido. Luego habló a su gusto
con su mujer y su hija, que su hijo no
sé yo dónde estaría, mientras se comía
un plato rebosante de sopas de ajo.

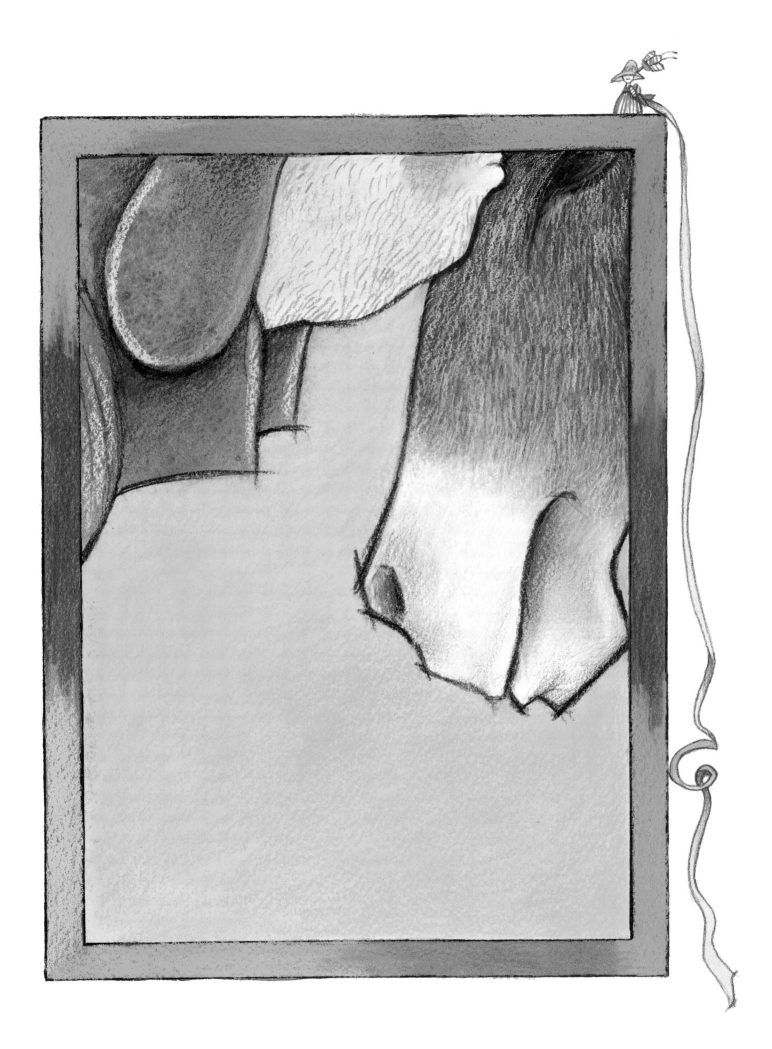

En cuanto a don Quijote, no
hizo tantos aspavientos cuando
su sobrina y el ama lo recibieron.

Querían ellas saber todo
lo posible de aquel viaje
del que regresaba.

Pero lo que él les dijo fue más
o menos lo que sigue:

—Sabed que por una parte
vengo contento y por otra triste.
Contento porque mi señora
Dulcinea, que estaba encantada,
ya no lo está. Y triste porque
he sido vencido por otro
caballero, y a causa de eso,
durante todo un año no puedo
buscar aventuras ni coger
las armas.

El ama y la sobrina dieron voces
de alegría; pero don Quijote
añadió:

—Lo que habíamos pensado
Sancho y yo era hacernos
pastores e irnos a los montes
a cuidar de unas pocas ovejas,
cambiarnos de nombres
y pasar los días y las noches
tranquilamente, cantando
y haciendo versos.

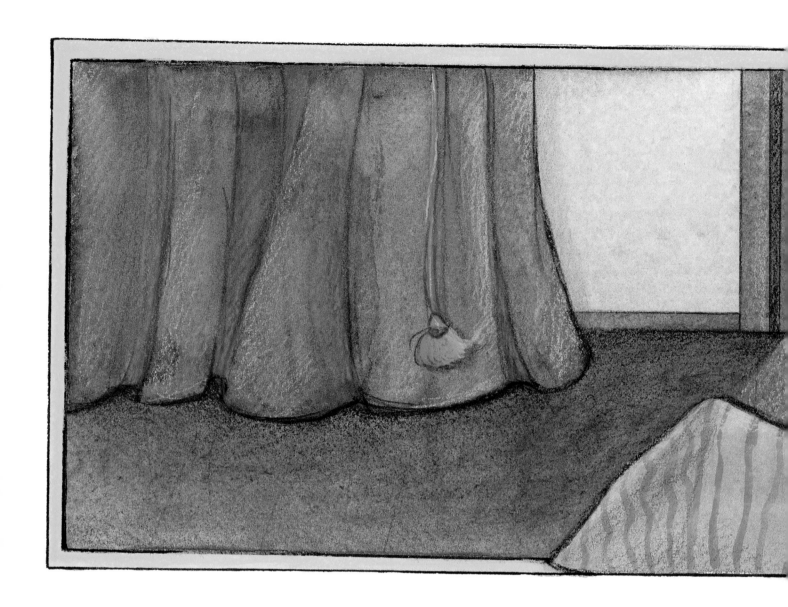

La sobrina y el ama pusieron el grito en el cielo:

—¡Ay, Dios mío...! Qué disparates decís, señor tío,
y yo que pensaba que veníais para quedaros en casa...
—se lamentó la sobrina, y enseguida añadió—:
¡Iros a los montes vestido de pastor...!
Pero ¿cómo podréis aguantar el frío del invierno o el calor
del verano? ¿Y los lobos...? ¿Es que no habéis pensado
en los lobos...? ¿Os creéis un hombre joven y fuerte...?
¿Es eso...? Pues, para que lo sepáis, lo que ven mis ojos
se parece mucho a un saco de huesos.

—Ea, mi señor, olvidaos de esa locura y venid a comer. Mirad, ya oigo a la rubia y a la negra cacarear en el corral. Seguro que han puesto dos huevos cada una pensando en vos —añadió el ama.

—Callad, hijas, callad, que yo sé bien lo que me conviene. Y ahora, ayudadme a llegar al lecho, pues me parece que no vengo bueno —dijo don Quijote.

Hacia el lecho lo condujeron ellas, y con mucho cuidado y cariño le abrieron la cama y le ayudaron a cambiar las ropas de viaje por las ropas de dormir. Después cerraron las ventanas y corrieron las cortinas.

Capítulo X

EL FINAL

MALO venía verdaderamente el caballero, pues, recién llegado a casa, se sintió invadido por unas muy altas y constantes fiebres.

—Son las tristezas de verse vencido las que lo han puesto enfermo —se lamentaba Sancho.

—Son esos disparatados viajes los que le han robado la salud del cuerpo y del alma —suspiraron la sobrina y el ama.

—Son las cosas de la vida, que hoy estás sano y mañana no lo estás —decían el cura y el barbero.

Fueran lo que fueran, el caso era que las fiebres no solo no disminuían, sino que más bien aumentaban.

Seis días enteros permaneció en el lecho, cada vez más débil, decaído y agotado. Durante todo ese tiempo, lo visitaron muchas veces sus dos buenos amigos, el cura y el barbero, y también el bachiller Sansón Carrasco.

En cuanto a Sancho Panza, su fiel escudero, no había manera de separarlo de su lado.

Hasta que un día, el médico dijo con voz seria y preocupada:

—No me gusta este pulso, ni esta piel, tan pálida y transparente. Mejor será que el señor don Quijote se vaya preocupando por la salud del alma, pues la del cuerpo la tiene ya perdida...

Al oírlo, lloraron el ama y la sobrina desconsoladamente, y aún más lloró el buen Sancho, que hipaba y sollozaba como un niño. En cambio, don Quijote permaneció tranquilo, que bien sabía él que todo en este mundo tiene un fin y que nada es eterno.

—Lo que ahora deseo es estar a solas, para pensar un poco y dormir otro poco —dijo el caballero.

Pensar no sé lo que pensó; pero dormir, durmió al menos durante seis horas.

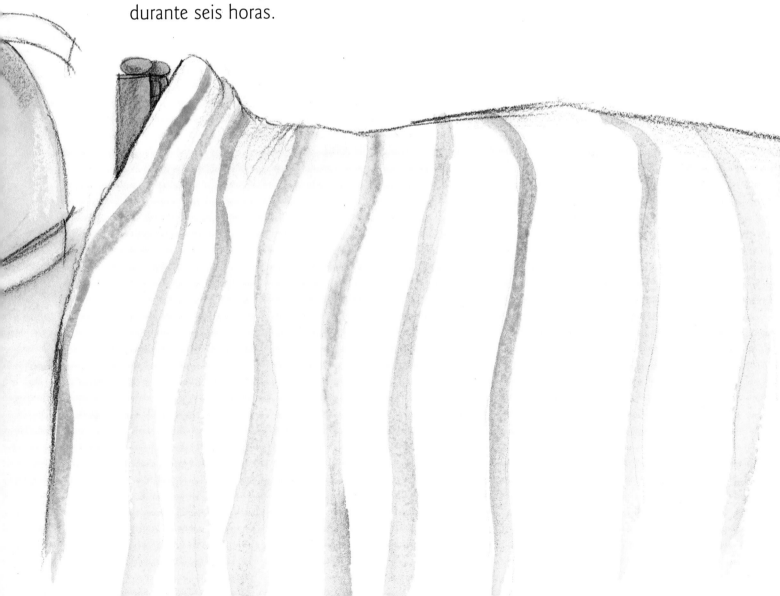

Al fin se despertó, y cuando lo hizo,
dio una gran voz y dijo:

—¡Bendito sea Dios, que tan bueno ha sido
conmigo!

Corrieron a su lado el ama, la sobrina, el cura,
el barbero, el bachiller Carrasco y Sancho,
por supuesto.

—¿Qué decís, señor tío? ¿Por qué Dios ha sido
tan bueno con vos? ¿Acaso estáis mejor? ¿Es que
os sentís curado? —preguntó ansiosa la sobrina.

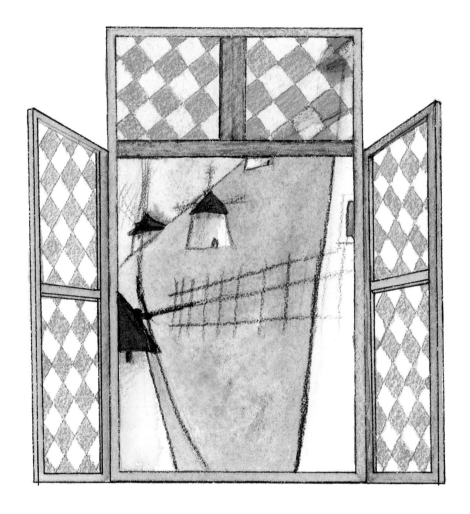

—No se trata de eso, sino de algo muy distinto. Sabed que Dios me ha devuelto el juicio perdido. Ahora yo lo tengo muy claro, ahora reconozco mis pasadas locuras. Y, como siento que la muerte se acerca, quiero que mis amigos sepan que, aunque viví loco, muero cuerdo —explicó con mucho sentido don Quijote.

Luego miró a Sancho y le dijo:

—Perdóname, amigo, por haberte hecho parecer tan loco
como yo. Pero una cosa te digo, y es que, si estando loco
te quería otorgar el gobierno de una isla, ahora que estoy cuerdo,
si pudiera, te entregaría el gobierno de todo un reino,
pues bien te lo mereces, Sancho amigo, por tu gran sencillez,
tu gran fidelidad y tu buen corazón.

—¡Ay! —respondió Sancho sin dejar de llorar—. No se muera vuestra merced, señor mío; siga mi consejo y viva muchos años. Levántese de esa cama y vámonos al campo los dos juntos vestidos de pastores, que quizás detrás de algunas matas encontremos a la señora Dulcinea desencantada.

—Dejemos esto ya —protestó don Quijote—. Repito que, si antes fui loco, ahora soy cuerdo, y si fui don Quijote de la Mancha, ahora vuelvo a ser don Alonso Quijano.

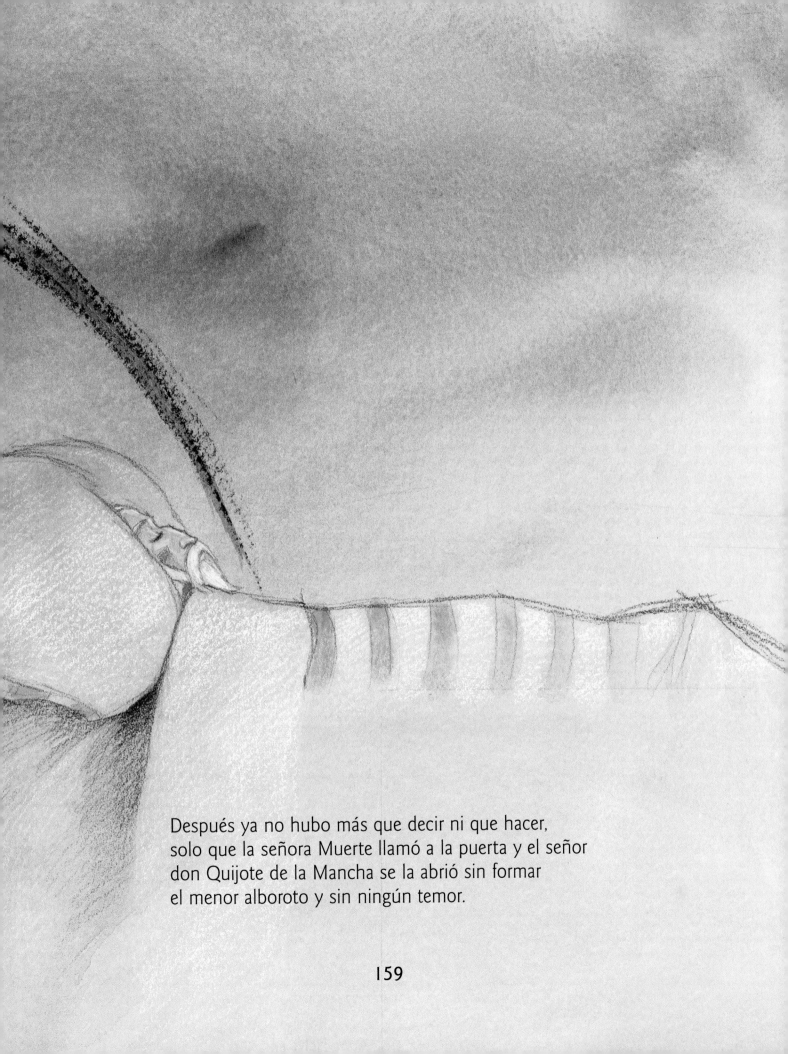

Después ya no hubo más que decir ni que hacer,
solo que la señora Muerte llamó a la puerta y el señor
don Quijote de la Mancha se la abrió sin formar
el menor alboroto y sin ningún temor.

Y este es el final: don Quijote murió, sencillamente.
No hay nada que añadir, por lo menos
don Miguel de Cervantes
no añadió nada más.

En cuanto a Sancho,
quizás viviera muchos
años todavía después
de morir su señor. No sería nada extraño,
pues parecía sano y tenía buen humor.
Si esto fue así, jamás olvidaría al caballero,
pues los hombres como don Quijote
nunca pueden olvidarse.

ÍNDICE

Este libro se acabó de imprimir
en los talleres gráficos de Grafo, S. A.,
en marzo de 2005

© Texto: Concha López Narváez
© Ilustraciones: Alicia Cañas Cortázar

© Grupo Editorial Bruño, S. L., 2004
Maestro Alonso, 21
28028-Madrid

Dirección editorial: Trini Marull
Edición: Cristina González
Preimpresión: Alberto García
Diseño de cubierta: Cristóbal Gutiérrez

ISBN: 84-216-9387-5
D. legal: BI-315-2005

Printed in Spain